集字聖教序（墨皇本）

彩色放大本中國著名碑帖

孫寶文 編

大唐三藏聖敎序

太宗文皇帝製　弘福寺沙門懷仁集晉右將軍王羲之書　盖聞二儀有像顯覆載以

含生四時無形潜寒暑以化物是以窺天鑑地庸愚皆識其端明陰洞陽賢哲罕窮其數然而天地苞乎陰陽而易識者以其有像也陰陽處乎天地而難窮

者以其無形也故知像顯可徵雖愚不惑形潛莫覩在智猶迷况乎佛道崇虛乘幽控寂弘濟万品典御十方舉威靈而無上抑神力而無下大之則弥於宇

宙細之則攝於豪釐無滅無生歷千劫而不古若隱若顯運百福而長今妙道凝玄遵之莫知其際法流湛寂挹之莫測其源故知蠢蠢凡愚區區庸鄙投其

旨趣能無疑或者哉然則大教之興基乎西土騰漢庭而皎夢照東域而流慈昔者分形分蹟之時言未馳而成化當常現常之世民仰德而知遵及乎晦

影歸真遷儀越世金容掩色不鏡三千之光麗象開圖空端四八之相於是微言廣被拯含類於三途遺訓遐宣導群生於十地然而真教難仰莫能一其旨歸

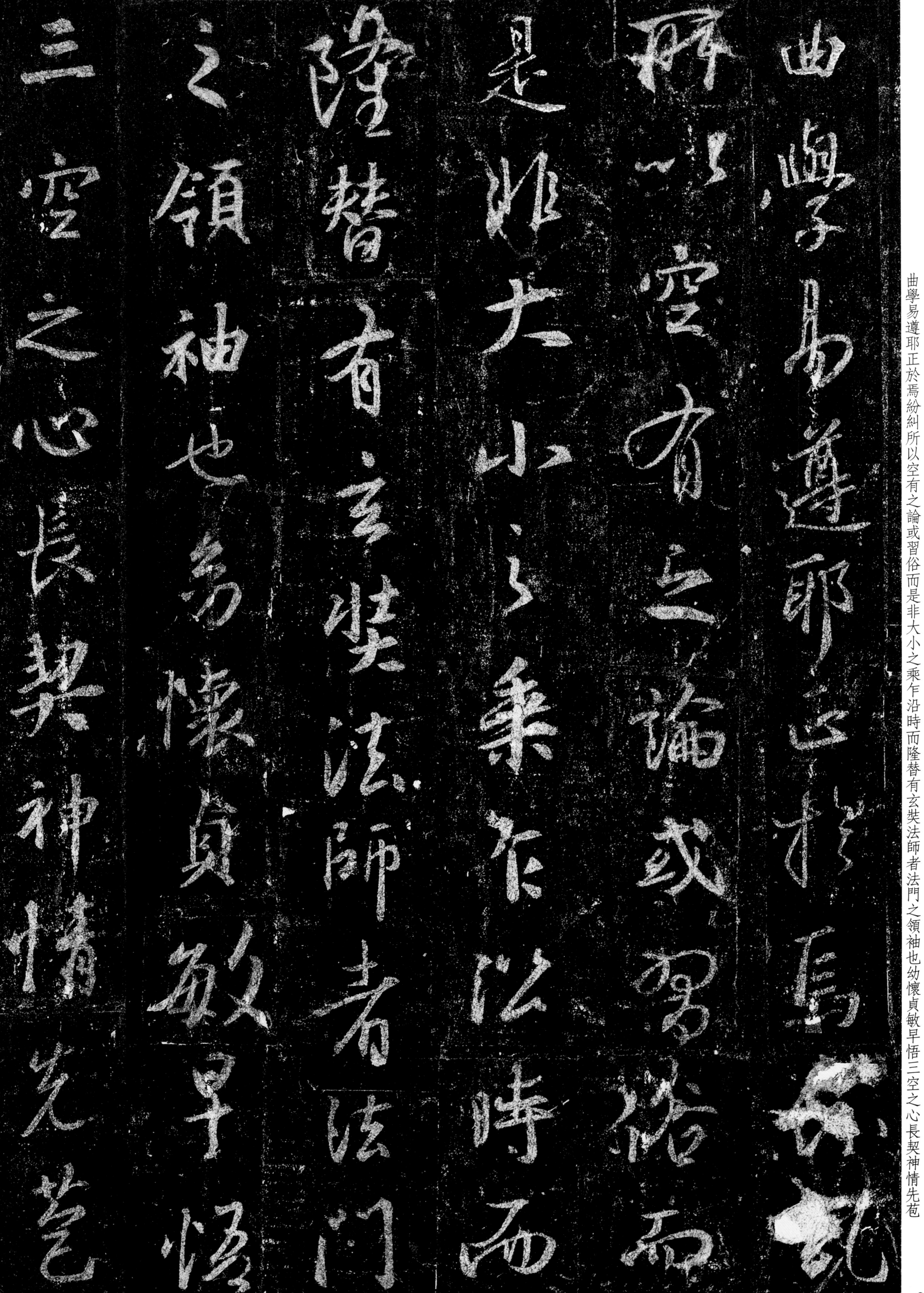

曲學易遵耶正於焉紛糺所以空有之論或習俗而是非大小之乘乍沿時而隆替有玄奘法師者法門之領袖也幼懷貞敏早悟三空之心長契神情先苞

四忍之行松風水月未足比其清華仙露明珠詎能方其朗潤故以智通無累神測未形超六塵而迥出隻千古而無對凝心內境悲正法之陵遲栖慮玄門慨

深文之訛謬思欲分條析理廣彼前聞截僞續真開兹後學是以翹心净土往遊西域乘危遠邁杖策孤証積雪晨飛途間失地驚砂夕起空外迷天萬里山

川撥煙霞而進影百重寒暑躡霜雨而前蹤誠重勞輕求深願達周遊西宇十有七年窮歷道邦詢求正教雙林八水味道飡風鹿菀鷲峰瞻奇仰異承

川撥煙霞而進影百重寒暑躡霜雨而前蹤誠重勞輕求深願達周遊西宇十有七年窮歷道邦詢求正教雙林八水味道飡風鹿菀鷲峰瞻奇仰異承

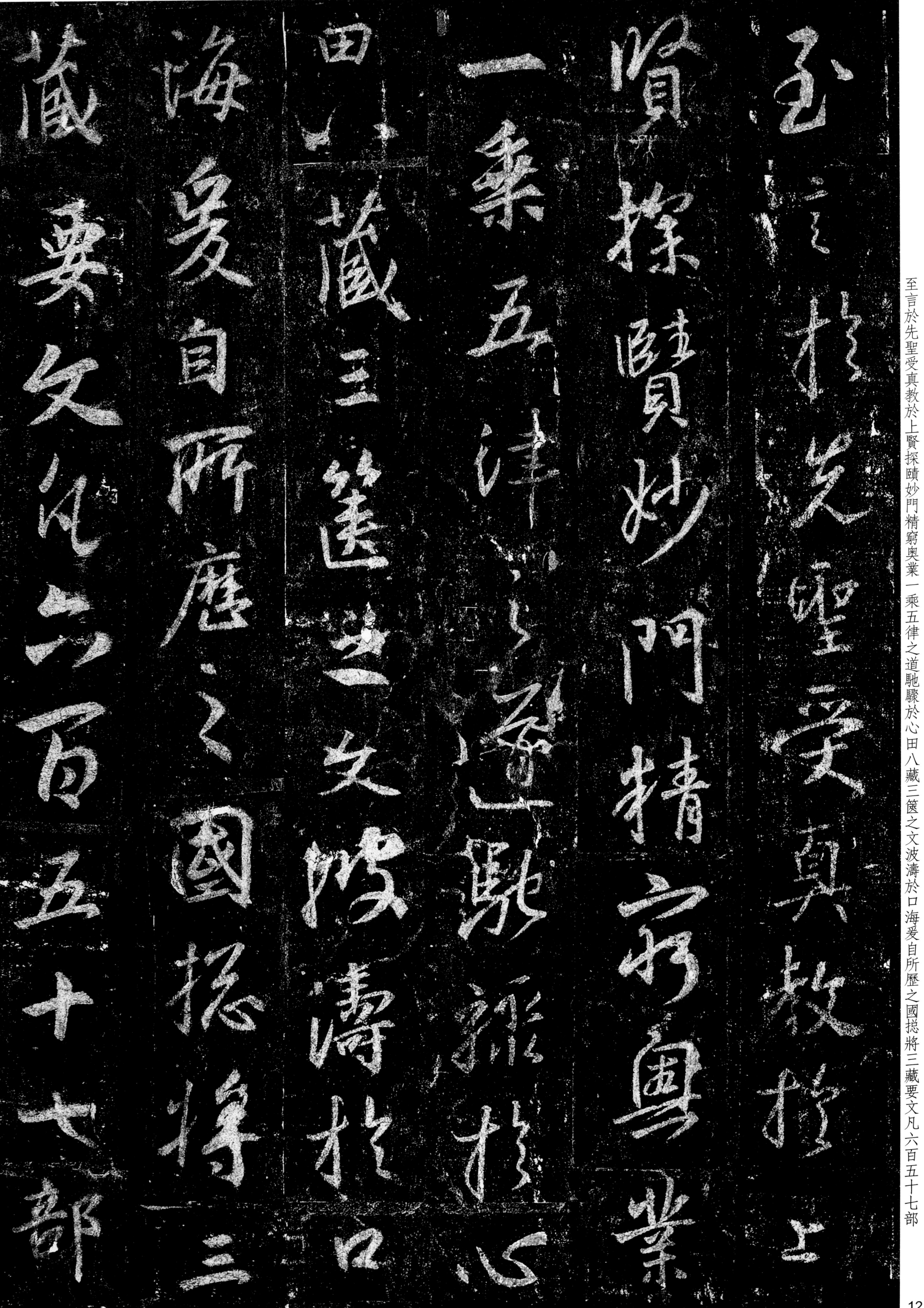

至言於先聖受真教於上賢探賾妙門精窮奧業一乘五律之道馳驟於心田八藏三篋之文波濤於口海爰自所歷之國捴將三藏要文凡六百五十七部

譯布中夏宣揚勝業引慈雲於西極注法雨於東垂聖教缺而復全蒼生罪而還福濕火宅之乾燄共拔迷途朗愛水之昏波同臻彼岸是知惡因業墜善

以緣昇昇墜之端惟人所託譬夫桂生高嶺雲露方得泫其花蓮出淥波飛塵不能汙其葉非蓮性自潔而桂質本貞良由所附者高則微物不能累所憑者净

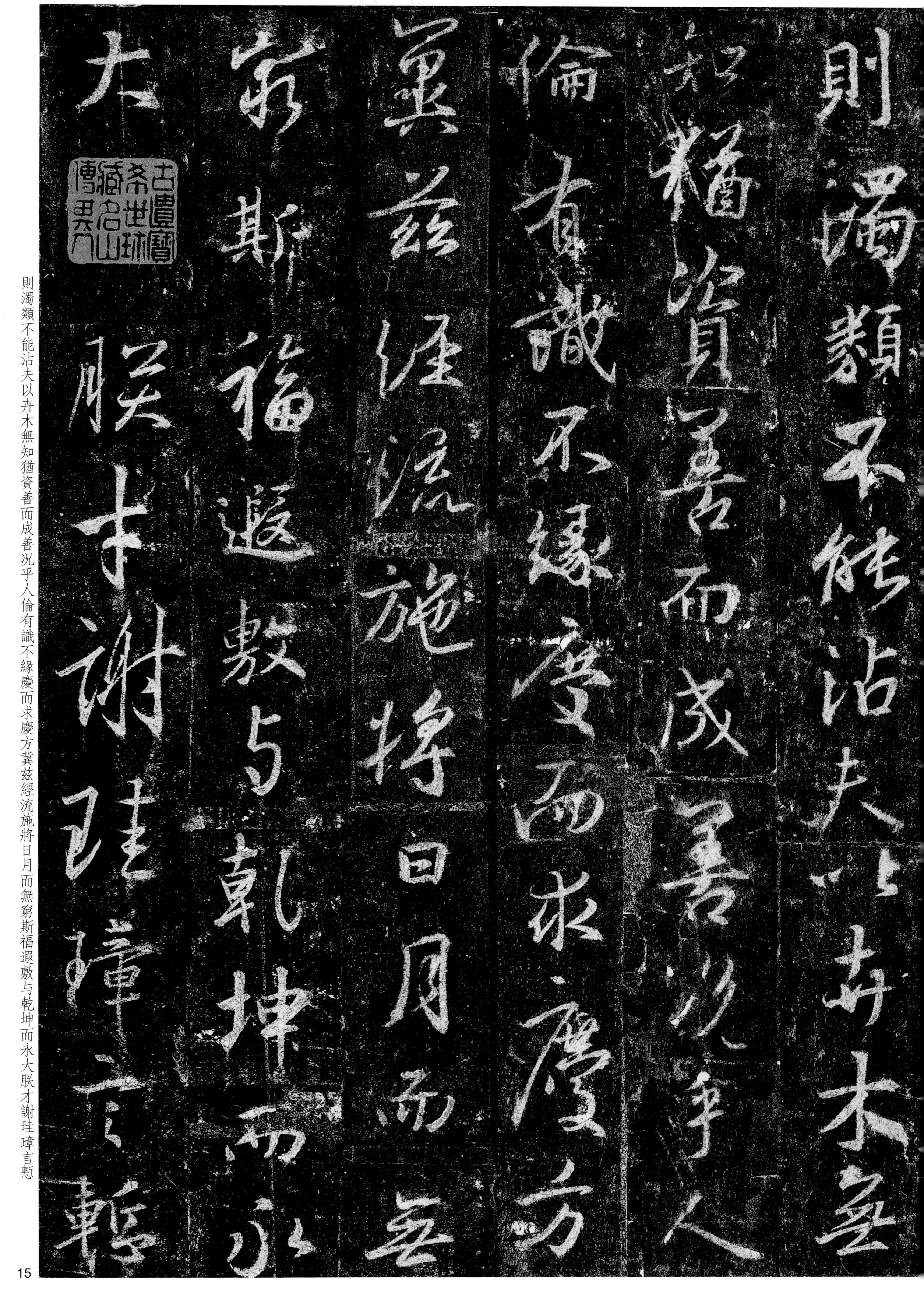

則濁類不能沾夫以卉木無知猶資善而成善況乎人倫有識不緣慶而求慶方冀兹經流施將日月而無窮斯福遐敷与乾坤而永大朕才謝珪璋言慙

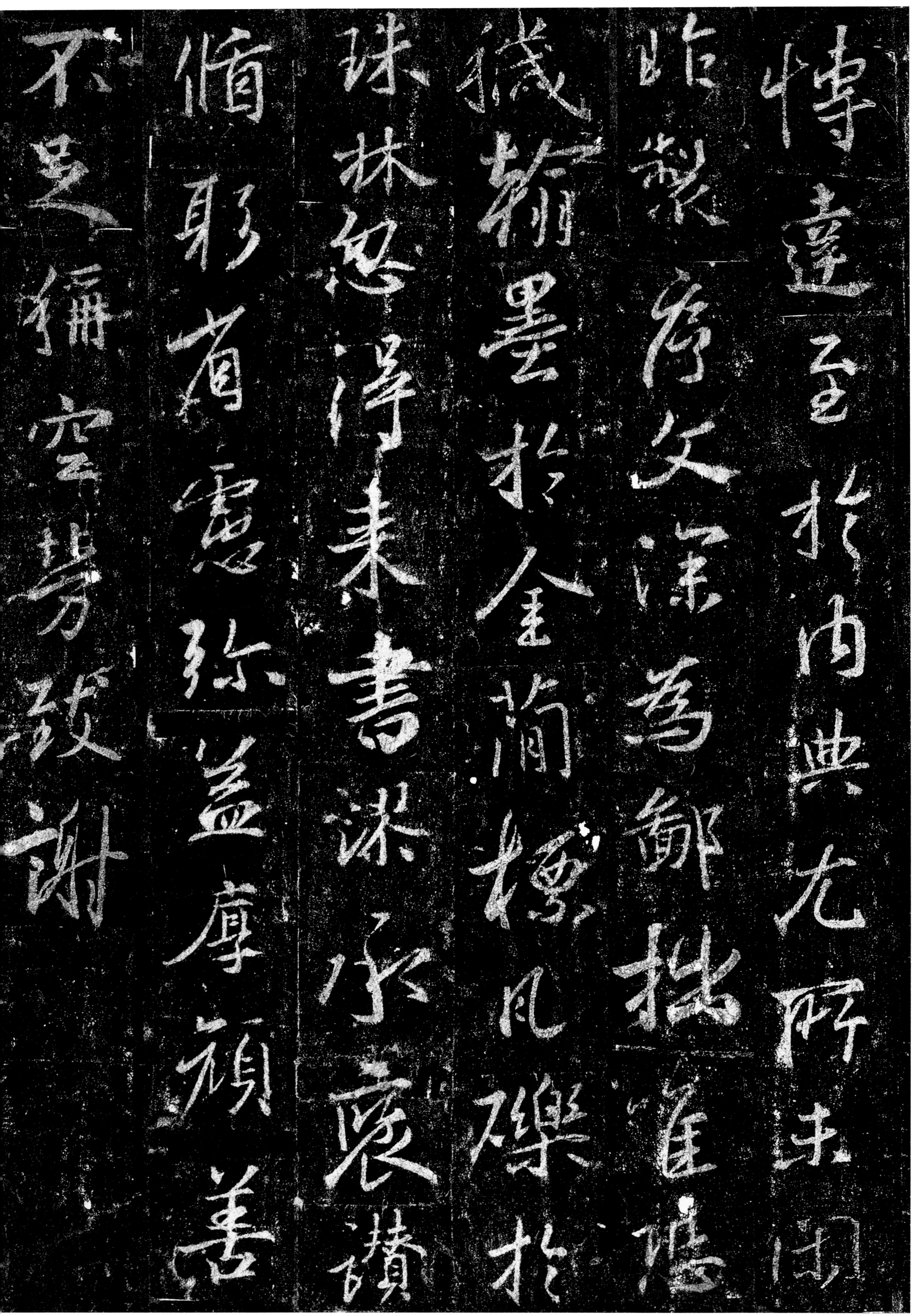

博達至於内典尤所未閑昨製序文深爲鄙拙唯恐穢翰墨於金簡標瓦礫於珠林忽得來書謬承褒讚循躬省慮弥益厚顔善不足稱空勞致謝

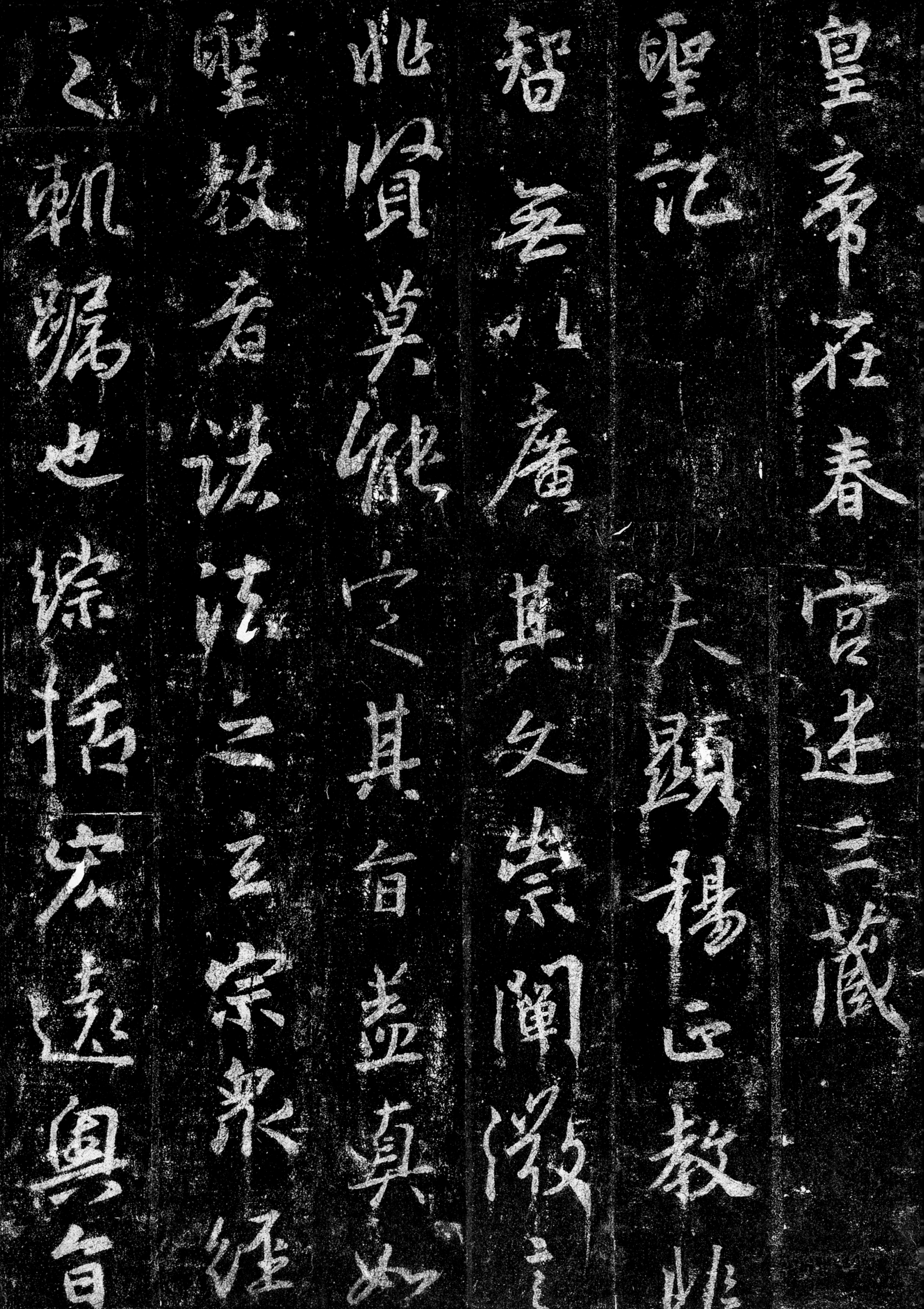

皇帝在春宮述三藏聖記　夫顯揚正教非智無以廣其文崇闡微言非賢莫能定其旨盖真如聖教者諸法之玄宗衆經之軌躅也綜括宏遠奥旨

遐深極空有之精微體生滅之機要詞茂道曠尋之者不究其源文顯義幽履之者莫測其際故知聖慈所被業無善而不臻妙化所敷緣無惡而不剪開法網

遐深極空有之精微體生滅之機要詞茂道曠尋之者不究其源文顯義幽履之者莫測其際故知聖慈所被業無善而不臻妙化所敷緣無惡而不剪開法網

之綱紀弘六度之正教拯群有之塗炭啓三藏之秘扃是以名無翼而長飛道無根而永固道名流慶歷遂古而鎮常赴感應身經塵劫而不朽晨鍾夕梵交二

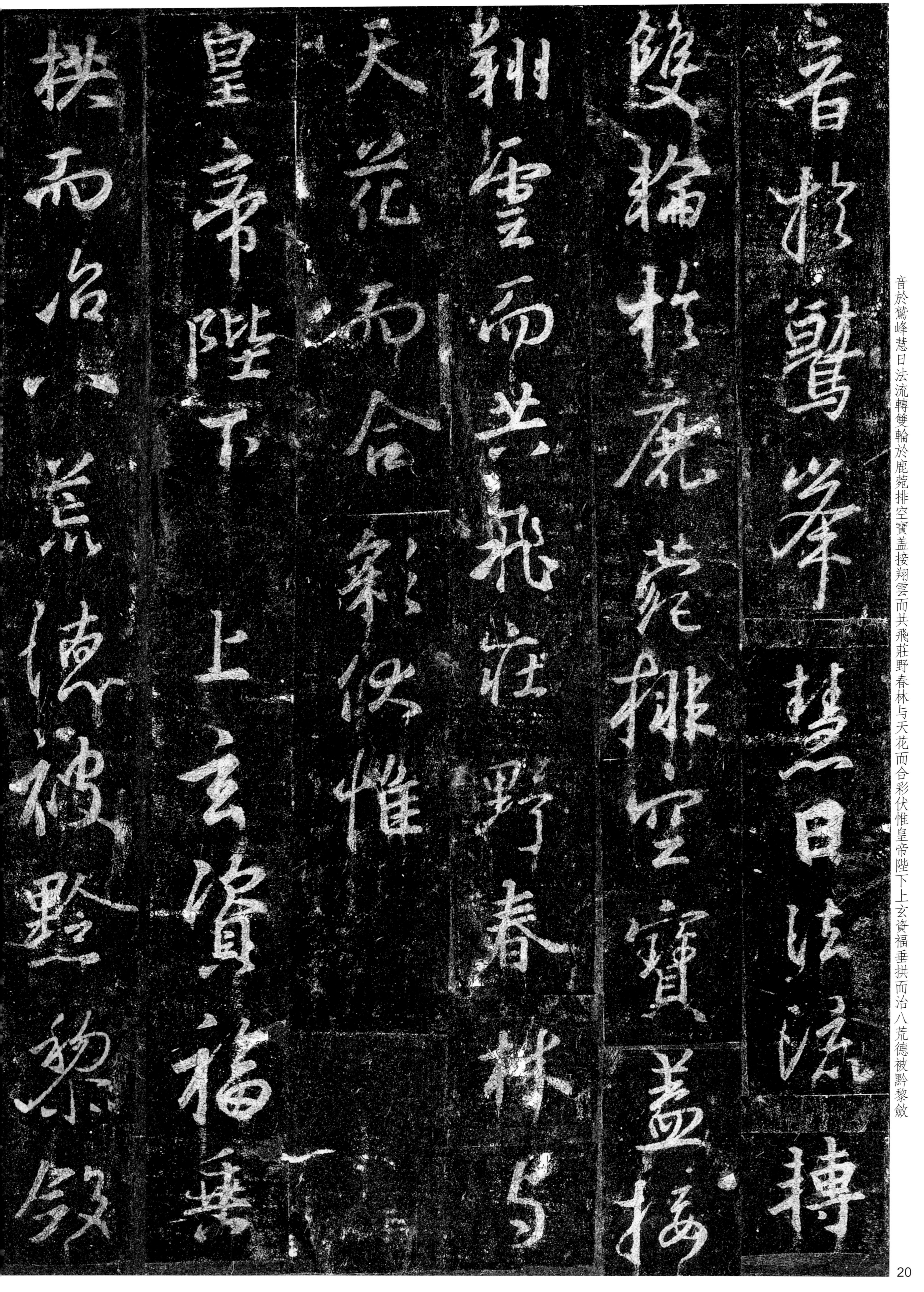

音於鷲峰慧日法流轉雙輪於鹿菀排空寶盖接翔雲而共飛莊野春林与天花而合彩伏惟皇帝陛下上玄資福垂拱而治八荒德被黔黎斂

祍而朝萬國恩加朽骨石室歸貝葉之文澤及昆蟲金匱流梵説之偈遂使阿耨達水通神旬之八川耆闍崛山接嵩華之翠嶺竊以法性凝寂靡歸心而不

通智地玄奥感懇誠而遂顯豈謂重昏之夜燭慧炬之光火宅之朝降法雨之澤於是百川異流同會於海万區分義揔成乎實豈与湯武校其優劣堯舜

比其聖德者哉玄奘法師者夙懷聡令立志夷簡神清齠齔之年體拔浮華之世凝情定室匿迹幽巖栖息三禪巡遊十地超六塵之境獨步迦維會一乘之旨

隨機化物以中華之無質尋印度之真文遠涉恒河終期滿字頻登雪嶺更獲半珠問道往還十有七載備通釋典利物爲心以貞觀十九年二月六日奉

隨機化物以中華之無質尋印度之真文遠涉恒河終期滿字頻登雪嶺更獲半珠問道往還十有七載備通釋典利物爲心以貞觀十九年二月六日奉

勑於弘福寺翻譯聖教要文凡六百五十七部引大海之法流洗塵勞而不竭傳智燈之長燄皎幽闇而恒明自非久植勝緣□以顯揚斯旨所謂法相常住

齊三光之明我皇福臻同二儀之固伏見御製衆經論序照古騰今理含金石之聲文抱風雲之潤治輒以輕塵足岳墜露添流略舉大綱以爲斯

記治素無才學性不聰敏內典諸文殊未觀攬所作論序鄙拙尤繁忽見來書褒揚讚述撫躬自省慙悚交并勞師等遠臻深以爲愧

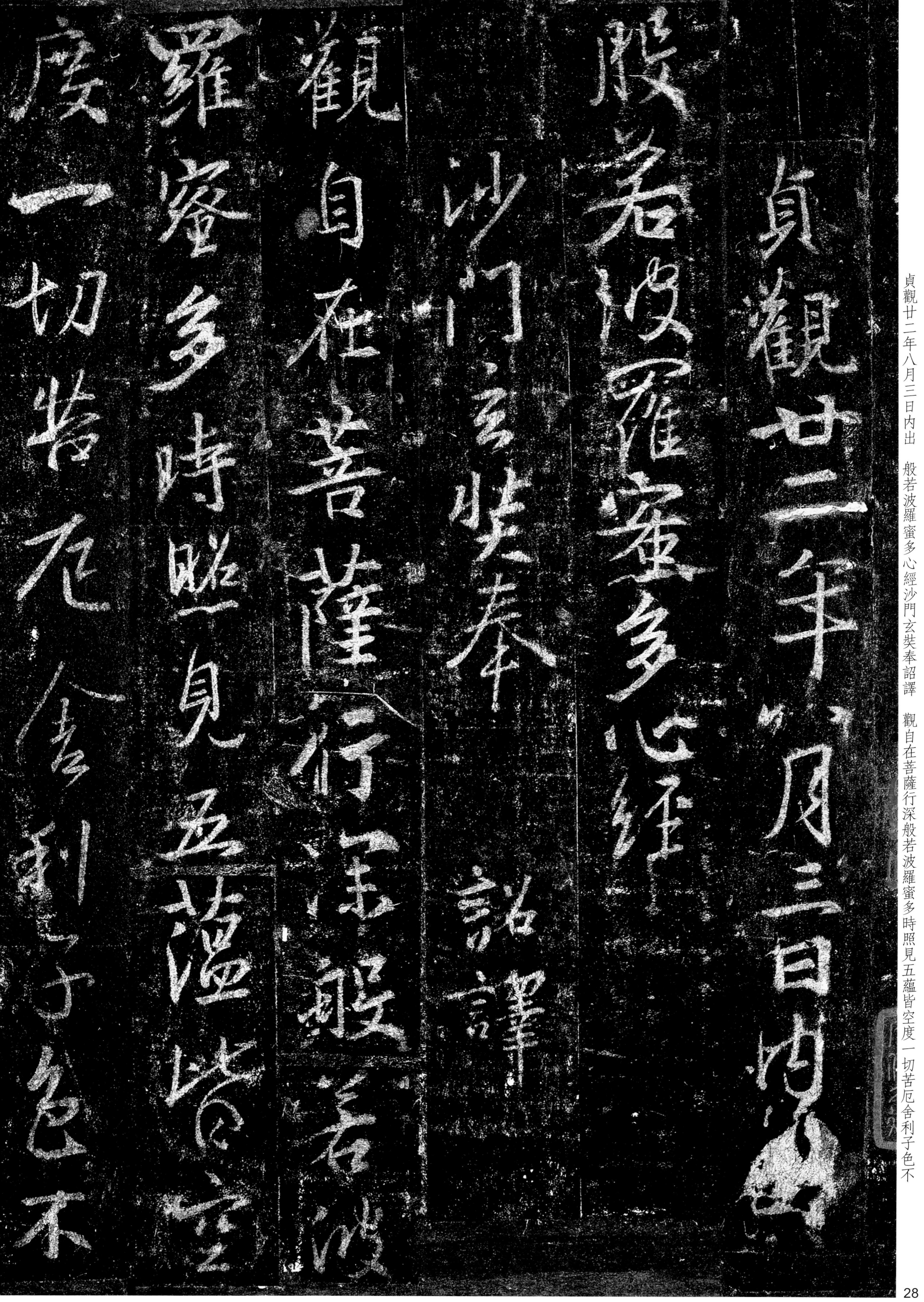

貞觀廿二年八月三日内出　般若波羅蜜多心經沙門玄奘奉詔譯　觀自在菩薩行深般若波羅蜜多時照見五蘊皆空度一切苦厄舍利子色不

異空空不異色色即是空空即是色受想行識亦復如是舍利子是諸法空相不生不滅不垢不淨不增不減是故空中無色無受想行識無眼耳鼻舌身意無

色聲香味觸法無眼界乃至無意識界無無明亦無無明盡乃至無老死亦無老死盡無苦集滅道無智亦無得以無所得故菩提薩埵依般若波羅蜜多故心

無罣礙無罣礙故無有恐怖遠離顛倒夢想究竟涅槃三世諸佛依般若波羅蜜多故得阿耨多羅三藐三菩提故知般若波羅蜜多是大神咒是大明咒

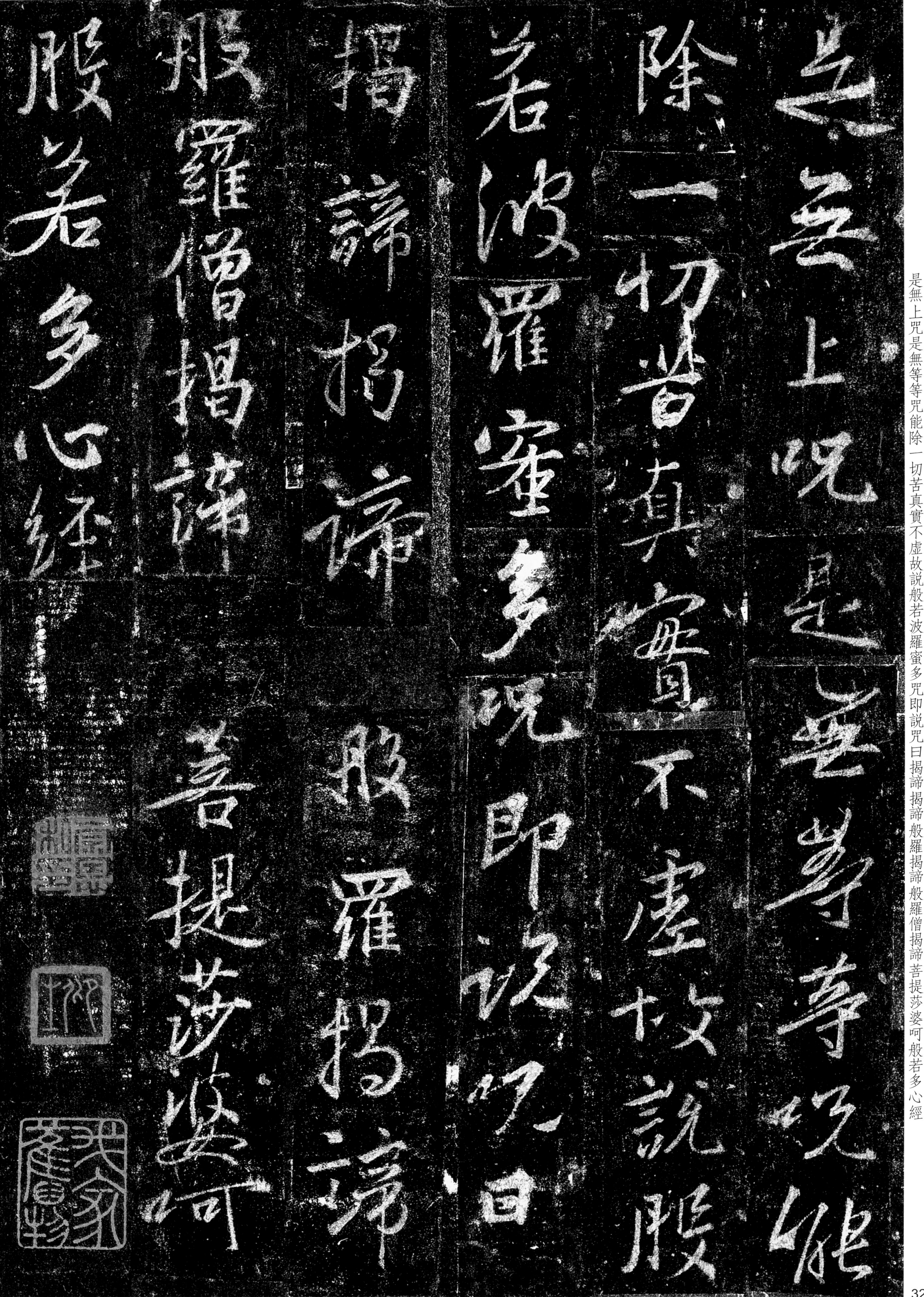

是無上咒是無等等咒能除一切苦真實不虛故説般若波羅蜜多咒即説咒曰揭諦揭諦般羅揭諦般羅僧揭諦菩提莎婆呵般若多心經

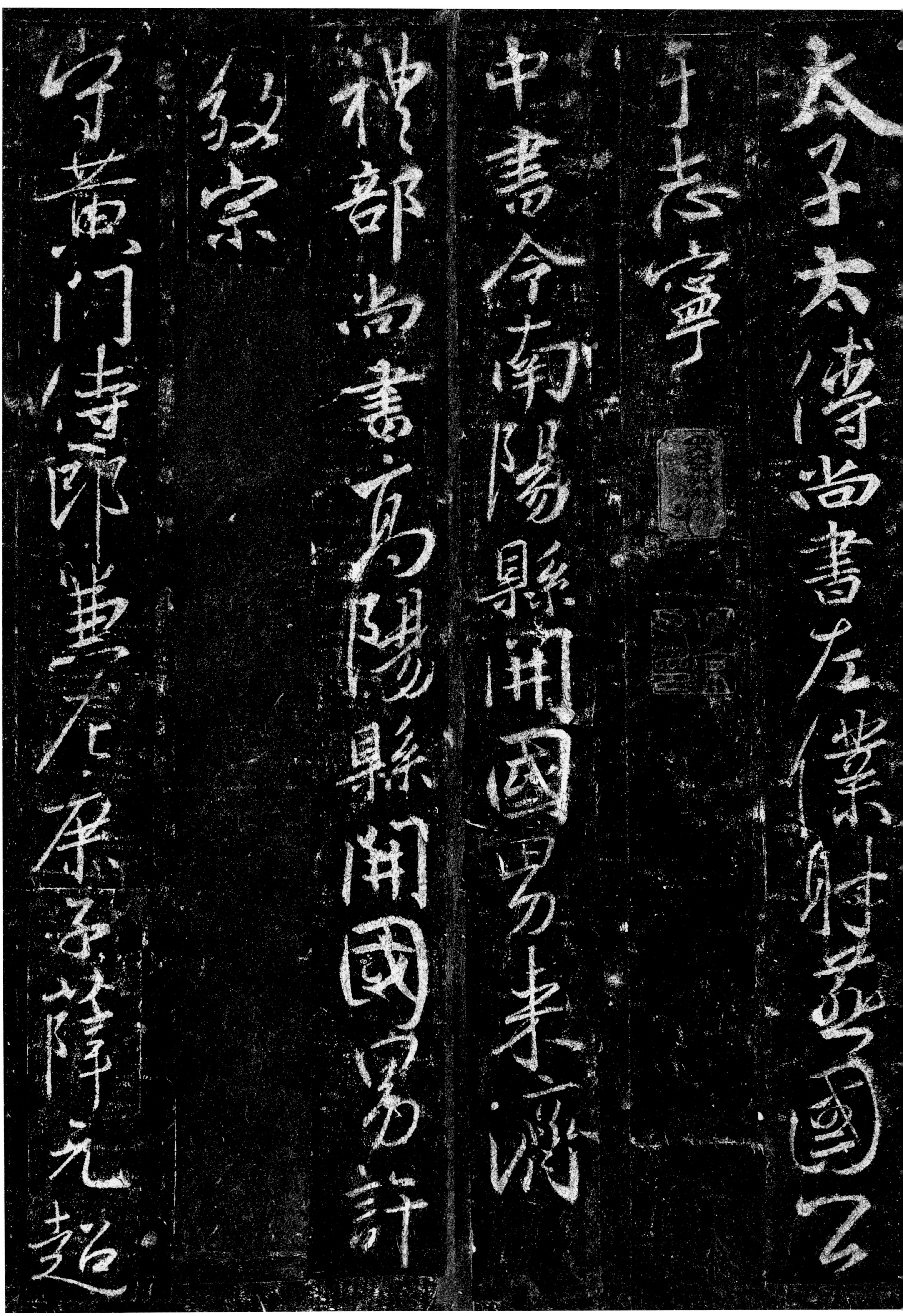

太子太傅尚書左僕射燕國公于志寧中書令南陽縣開國男來濟禮部尚書高陽縣開國男許敬宗守黄門侍郎兼左庶子薛元超

太子太傅尚書左僕射燕國公于志寧中書令南陽縣開國男來濟禮部尚書高陽縣開國男許敬宗守黄門侍郎兼左庶子薛元超

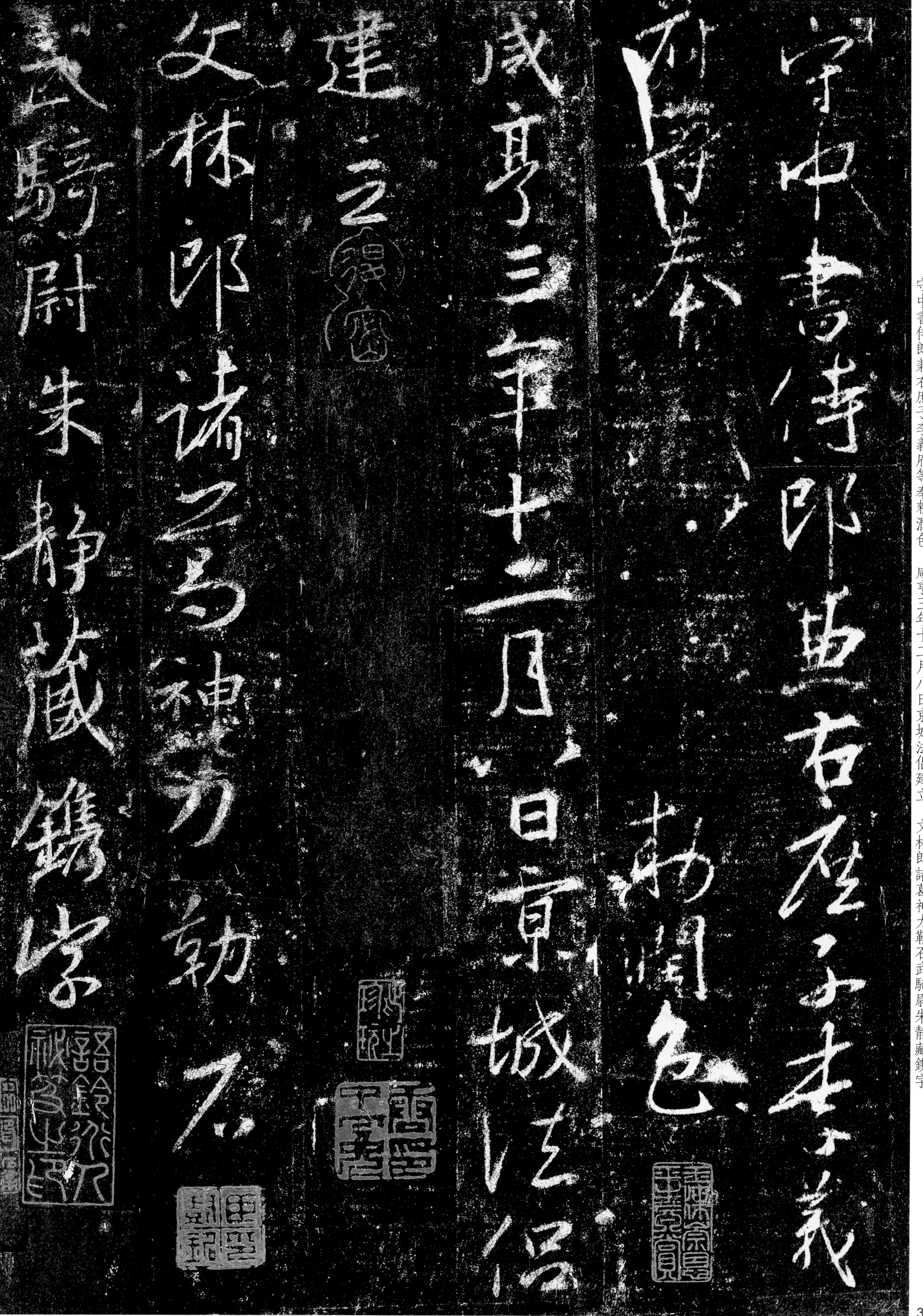

守中書侍郎兼右庶子李義府等奉勑潤色　咸亨三年十二月八日京城法侣建立　文林郎諸葛神力勒石武騎尉朱静藏鐫字